Ce livre appartient à :

____

____

____

____

Adaptation
de
Bérangère Descosses-Fleury

ISBN : 2-8313-0254-4

MES CONTES PRÉFÉRÉS

Tom Pouce

Illustrations
de
PETER STEVENSON

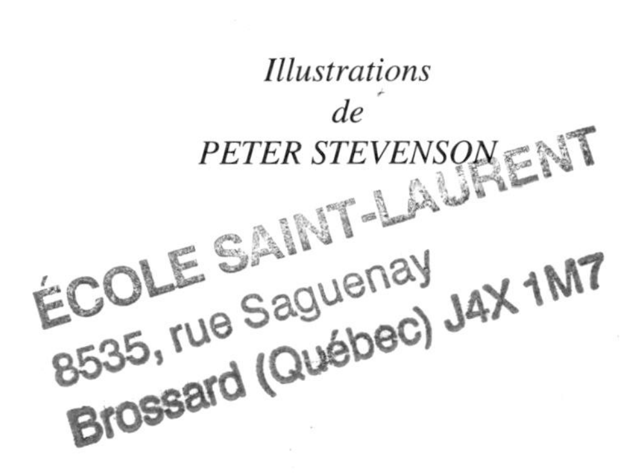

D'après un conte de Jacob et Wilhelm Grimm

Il était une fois un bûcheron et sa femme qui étaient tristes parce qu'ils n'avaient pas d'enfants.

Un beau jour, ils eurent enfin un fils, ce qui les combla de joie.

Mais ce garçon était tout petit et, avec le temps, il ne devint jamais plus haut que le pouce. Ce qui fait qu'on l'appela Tom Pouce.
Malgré sa petite taille, Tom Pouce était comme tous les enfants, et ses parents qui l'avaient longtemps attendu le chérissaient tendrement.

Un jour, au moment de partir travailler, le père soupira :
- Si seulement Tom était plus grand, il pourrait m'aider et conduire la charrette à ma place.

- Ça, je peux très bien le faire ! s'écria Tom Pouce.
Pose-moi seulement sur la tête du cheval et tu verras.
Le père fit ce qu'il demandait.

La charrette se mit en route. Tom Pouce se tenait à la crinière du cheval. Quand il fallait aller à gauche, il disait : «à gauche !» à l'oreille du cheval, et le cheval allait à gauche. Et s'il fallait aller à droite, «à droite !», et le cheval tournait à droite.

Cette charrette qui avançait sans que personne la conduise intrigua fort deux voyageurs qui passaient sur la route de la forêt.

Et quelle ne fut pas leur surprise quand ils virent Tom, que son père prit sur la tête du cheval pour le leur montrer.

- Voilà un sacré petit malin ! dit l'un d'eux. Accepteriez-vous de nous le vendre ?

- C'est tout à fait impossible, dit le bûcheron. C'est mon fils.

- Allez, papa, dit Tom Pouce, laisse-moi partir avec eux. Ce sera une belle aventure ! Et ne te fais pas de souci, je reviendrai vite à la maison.

Alors le bûcheron accepta.

L'un des hommes mit Tom Pouce dans sa poche et dit en se frottant les mains :
- On va le montrer dans un cirque. Et on va devenir riches, riches...

Le soir venu, Tom Pouce demanda :
- Eh ! posez-moi par terre, que je puisse me dégourdir les jambes.

Mais à peine au sol, pfuit, il fila se cacher. Les deux hommes eurent beau chercher, chercher, ils ne le retrouvèrent pas.

Dans la coquille vide où il s'était glissé, Tom Pouce ne tarda pas à s'endormir. Mais bientôt, le bruit d'une conversation le réveilla.

Deux voleurs discutaient autour d'un petit feu :
- On se glisse chez le curé, et à nous son bas de laine !

- Prenez-moi avec vous, cria Tom Pouce en se montrant. Je passe par un trou de serrure. Je vous lancerai l'argent.

Les voleurs acceptèrent ce complice peu encombrant.

Minuit avait sonné depuis longtemps quand ils arrivèrent au village. Au presbytère, tout dormait.

- Montre-nous de quoi tu es capable, dirent les voleurs à Tom Pouce.

Tom se glissa sous la porte, grimpa prestement l'escalier et reparut à la fenêtre du salon.
- Vous voulez tout l'argent qui est là ? cria-t-il aussi fort qu'il put.

- Chut, murmurèrent les voleurs. Tu vas réveiller tout le monde.

Mais Tom Pouce criait de plus belle :

- Vous voulez vraiment tout
l'argent qui est là ?
Ce qui réveilla la bonne.

Aux hurlements qu'elle poussa, toute la maison se leva. Tom Pouce avait atteint son but; il fila dans l'étable et s'endormit dans le foin.

Et les voleurs ? A tous les coups ils courent encore !

Arrête-toi !

Le lendemain matin, la bonne du curé vint à l'étable traire la vache. Mais avant, elle lui donna une bonne brassée de foin.

Pour Tom Pouce, le réveil fut brutal, à tourner et à retourner dans la bouche d'une vache.

- Arrête-toi ! cria-t-il aussi fort qu'il le put.

En entendant cette voix sortir de la bouche de la vache, la bonne crut tomber à la renverse.
- Au secours ! hurla-t-elle en prenant ses jambes à son cou, la vache parle !

- La vache parle ! Quelle sottise ! dit le curé accouru voir pourquoi elle criait.

Mais comme la vache recommençait à mâchonner son foin :
- Arrête-toi ! redit Tom Pouce.

Le brave homme de curé en fut si tourneboulé qu'il ne vit même pas Tom Pouce sauter à terre et prendre la route de chez lui.

Chemin faisant, il
rencontra un loup
affamé qui l'avala
tout rond.

Mais Tom Pouce ne se laissa pas abattre. Du fond de son estomac, il interpella le loup :
- Si tu as encore faim, je sais où trouver des tas de nourriture.

Et il conduisit le loup jusqu'à la maison de ses parents.
- Regarde, pour entrer tu peux passer par la bouche d'égout.

Le passage n'était vraiment pas large, mais le loup parvint, après bien des contorsions, à se glisser à l'intérieur.

Là, le loup s'empiffra tant et si bien qu'il fut incapable de sortir par où il était entré : son ventre était beaucoup trop gros.

Alors Tom Pouce se mit à crier aussi fort qu'il le put.

Eveillés en sursaut, le bûcheron
et sa femme vinrent voir ce qui se
passait.

- Un loup ! dit le bûcheron. Vite
ma hache !

- Attention, papa ! cria Tom
Pouce. Je suis là ! Je suis dans
le ventre du loup !

- N'aie pas peur, mon petit Tom, cria le père. Je vais te sauver !

Et d'un grand coup de hache il abattit raide le loup. Puis, en faisant bien attention, la maman fit un petit trou dans le ventre du loup avec ses ciseaux de couturière.

Tom Pouce apparut, frais et dispos.

- Je l'avais dit, que je reviendrais bien vite, s'exclama-t-il tout content.

- As-tu eu assez d'aventures ?
lui demandèrent ses parents.
- Plus qu'assez. Dorénavant,
je ne quitte plus la maison.

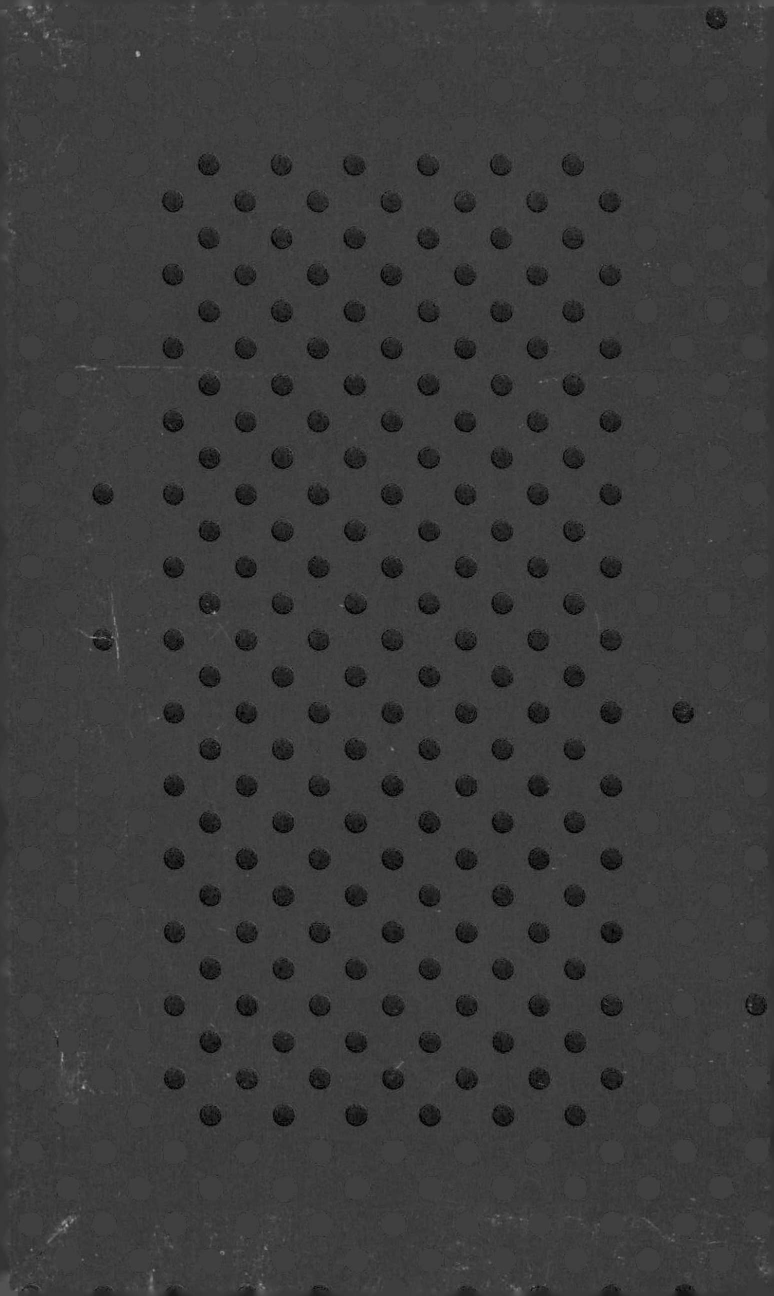